*Actuele informatie over Kluitmanboeken
kun je vinden op www.kluitman.nl*

# bas en brit
# op de kermis

marian van gog

tekeningen
*saskia halfmouw*

KLUITMAN

# LEES N!VEAU

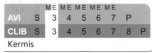

Kermis

Toegekend door Cito i.s.m. KPC Groep

Nur 287/L051001
© MMX Uitgeverij Kluitman Alkmaar B.V.
© Tekst: Marian van Gog
© Illustraties: Saskia Halfmouw
Omslagontwerp: Design Team Kluitman
Opmaak binnenwerk: Marieke Brakkee

www.kluitman.nl

„spring bul, spring!"
bas en brit zijn in de tuin.
brit heeft een plakje worst.
ze houdt het heel hoog.
„toe bul," roept ze.
„spring dan!
je kunt het best."
bul kijkt naar de worst.
maar hij springt niet.

„slome hond," zegt brit.
dan geeft ze hem toch de worst.

„wat doen jullie?" vraagt mam.
„we leren bul kunstjes," zegt brit.
„maar het lukt niet."
pap lacht.
„bul is geen hond voor kunstjes.
bul is een hond voor koekjes!"

„weet je wat ik lees?" zegt pap.

„er is kermis op het plein.

schiet dus maar op met die kunstjes.

dan kan bul nog meedoen.

ha, ha!"

yes... kermis!

„kermis!" zegt brit.

„dat is leuk!

gaan we er naartoe?"

„om vijf uur," zegt pap.

„dan gaat de kermis open."

om vijf uur gaan ze op pad:
pap, mam, bas, brit en bul.
de kermis is op het plein.
het is er vol lichtjes
en er klinkt muziek.

pap haalt geld uit zijn zak.

„hier, voor alle twee wat," zegt hij.

„ga maar wat leuks doen.

wij zijn daar."

hij wijst naar een terras.

bas en brit gaan het plein op.

ze zien een rupsbaan

en een groot rad.

je kunt iets leuks grijpen

en ballen gooien.

wat is er veel te doen!

„waar gaan we eerst heen?" vraagt bas.

ze gaan in de rupsbaan.

bas gooit naar de eenden.

brit grijpt met een grijper.

samen vliegen ze door de lucht.

13

dan staan ze voor het spookhuis.

er brandt geen licht.

brit loopt naar de deur.

„ho," zegt een stem.

„je mag er niet in."

„wie bent u?" vraagt brit.

„ik ben ted," zegt de man.

„en ik werk hier.

het spookhuis is nog niet klaar.

het is nog dicht."

ted sluit een kabel aan.

er komt een vonk uit.

„dat is niet goed!" zegt brit.

„niks aan de hand," zegt ted.

„wanneer gaat het spookhuis open?"

vraagt brit.

„morgen," zegt ted.

„kom dan maar terug."

bas, brit en bul

gaan naar pap en mam.

„was het leuk?" vraagt pap.

„dat kun je wel zien!" zegt mam.

„gaan we morgen weer?" vraagt brit.

„nee zeg!" zegt pap.

„is het niet genoeg?" vraagt mam.

„ja, maar..." zegt brit.

„het spookhuis was nog dicht.

en daar wil ik zo graag in."

de dag daarna zegt mam:
„ik moet naar de winkel."
„mogen wij mee?" vraagt bas.
mam kijkt verbaasd.
„mee naar de winkel?" vraagt ze.
„ja, toe..." zegt brit.
„we willen zo graag naar het spookhuis."
mam zucht.
„goed dan," zegt ze.

bij het spookhuis
is het nog steeds donker.
er staan een jongen en een meisje.
„hoi," zegt het meisje.
„ik heet floor."
„en ik ben joep," zegt de jongen.
„we willen in het spookhuis."
„wij ook," zegt brit.
ted komt er aan.
„morgen gaan we open," zegt hij.
brit zucht.
„dat zei je laatst ook," zegt ze.

sorry,
het is nog niet klaar.

de dag daarna komt opa.
brit vertelt van de kermis.
en van het spookhuis.
„we gaan niet weer, hoor," zegt mam.
„mijn tabak is op," zegt opa.
„wie gaat er mee naar de winkel?"
„geen zin," zegt bas.
„kom nou maar…" zegt opa
en hij geeft bas een knipoog.

„waar koop je tabak, opa?" vraagt bas.
„vlak bij de kermis," zegt opa.
„dus als ik tabak koop…"
„…gaan wij naar het spookhuis!" roept brit.

wie staan daar bij het spookhuis?

floor en joep!

er brandt geen licht.

voor de deur staan wel karren.

ted staat er ook.

„hoi," zegt hij.

dan doet hij het licht aan.

„ik ben net klaar," zegt hij.

„ik denk dat alles het doet.

weet je wat?

maak maar een proefrit.

dan zul je het zien."

„ja leuk!" roept brit.

„mogen wij ook?" vraagt floor.

„klaar voor de start?" roept ted.
hij drukt op een knop.
er klinkt een bel.
dan gaan ze rijden.
de deur klapt open.
de kar van floor en joep
rijdt het spookhuis in.
nu zijn bas en brit aan de beurt.
brit zucht diep.
dit wordt leuk!

binnen lijkt het wel nacht.
brit knijpt haar ogen dicht.
ze vindt het een beetje eng.
maar wel leuk eng!
dan hoort ze een gil.
het is floor.
„wat is er?" roept ze.
daar flitst iets over haar hoofd.
het lijkt wel... een spook!

het spook lacht.
brit gilt en grijpt de hand van bas.
ze knijpt hard.
nu gilt bas ook.
dat doet zeer!

weer zien ze iets.

twee ogen.

ze zijn fel geel.

is het een beest?

dan rammelt er iets.

het is een geraamte.

het gloeit in het donker.

daarna wordt alles weer zwart.

„lekker eng," zegt brit.

ze lacht en rilt.

dan voelt ze iets in haar gezicht.

het lijkt wel het web van een spin!

het plakt aan haar neus.

ooo... bah... brrr...!

opeens klinkt er een knal.

hun kar stopt.

brit geeft een gil.

wat gaan ze nu weer zien?

brit grijpt bas vast.

„zie jij wat?" vraagt ze.

„nee," zegt bas.

brit durft niet te kijken.

er komt vast iets engs.

een spook of een beest.

maar er gebeurt niets.

„pssst..." klinkt het.
en nog eens: „pssst..."
het is joep.
„wat is er aan de hand?"
„geen idee," zegt bas.
„ik ben bang," zegt floor.
„dat hoeft niet, hoor," zegt brit stoer.
maar haar stem trilt.

blijf in
je kar.

dan klinkt hoog in de lucht
de stem van ted.
hij zegt: „schrik niet.
er is toch nog iets mis.
ik maak het snel.
blijf maar zitten
en doe je riem niet af."

„wat nou?" vraagt floor.

„nou niks," zegt bas.

„we doen wat ted wil."

„ik zie niks," zegt joep.

„hadden we maar een lamp."

„ted heeft een lamp," zegt bas.

„in zijn kist."

„daar hebben wij niets aan," zucht floor.

„toch wel," zegt brit.

ze draait zich om naar bul.

„bul, haal de lamp.

toe maar, bul.

dat kun je best!"

voor het spookhuis staat ted.
hij krabt op zijn hoofd.
er is weer geen stroom.
hoe kan dat...?
dan hoort hij: waf.
uit de deur komt bul.

bul snuift en gromt.
hij loopt naar ted toe
en trekt aan zijn broek.
„niet doen, bul," zegt ted.
maar bul gaat door.
het lijkt wel of hij zegt:
„kom mee!"

bul rent weg.
ted loopt achter hem aan.
waar gaat bul heen?
dan ziet ted het.
bul gaat naar de kabel.
die is stuk!
ted maakt de kabel.
en bul?
die pakt de lamp.
dan rent hij terug.
in het spookhuis
is het nog steeds donker.
maar dan opeens...
„ik zie licht," roept bas.

het is bul.

hij heeft een lamp in zijn bek!

„goed zo, bul," roept brit.

„ik wist wel dat je het kon!"

hun kar schokt en trilt.

dan gaan ze weer.

buiten staat ted.

opa is er ook.

„de stroom viel uit," zegt brit.

„ted zei het al," vertelt opa.

„en bul heeft ons gered," zegt bas.

„ik weet het," zegt opa.

bul, je bent een held!

29